Consuela,

alas, we do not speak each other's language, but you are the most beautiful lady I have ever seen. Mother and father would never approve, but dammit I have feelings for you my raven-haired beauty.... I would run away with you, forsaking the family fortune, to what ever place you came from an have hundreds of babies with you, you and all of your sisters probably..... If only, If only I could! Sadly, you are a woman of mystery, always just out of reach, and I am a 15 year old boy hopelessly smitten.....

Adios Señorita,

yours,

Charles

Ganador de la Medalla Caldecott
al mejor libro ilustrado del año

DONDE VIVEN LOS MONSTRUOS

DONDE VIVEN LOS MONSTRUOS

TEXTO E ILUSTRACIONES DE MAURICE SENDAK

Traducción de Teresa Mlawer

 HarperTrophy
A Division of HarperCollins*Publishers*

Rayo is an imprint of HarperCollins Publishers • Copyright © 1963 by Maurice Sendak • Copyright renewed © 1991 by Maurice Sendak • Translation by Teresa Mlawer • Translation copyright © 1996 by HarperCollins Publishers
Printed in the U.S.A. All rights reserved. First Spanish Edition, 1996 • HarperCollins Children's Books, 10 East 53rd Street, New York, NY 10022 • 09 10 11 12 13 WOR 30 29 28 27 26 25 24 23 22

La noche que Max se puso un traje de lobo y comenzó a hacer una travesura

tras otra

su mamá le dijo: "¡ERES UN MONSTRUO!"
y Max le contestó: "¡TE VOY A COMER!"
y lo mandaron a la cama sin cenar.

Esa noche en la habitación de Max nació un bosque

y el bosque creció

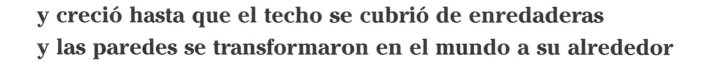

y creció hasta que el techo se cubrió de enredaderas
y las paredes se transformaron en el mundo a su alrededor

y de repente apareció un océano y Max navegando en su bote
y navegó día y noche

durante varias semanas
y casi más de un año
hacia donde viven los monstruos.

Y cuando llegó al lugar donde viven los monstruos
éstos emitieron unos horribles rugidos y crujieron sus afilados dientes

y lo miraron con ojos centelleantes y le mostraron sus terribles garras

hasta que Max dijo: "¡QUIETOS!"
y los domó con el truco mágico

de mirarlos fijamente a los ojos sin pestañear y se asustaron tanto
que dijeron que él era el monstruo más monstruo de todos

y lo nombraron rey de todos los monstruos.

"Y ahora", gritó Max, "¡que comiencen los festejos!"

"¡Basta ya!" gritó Max y ordenó a los monstruos que se fueran a la cama sin cenar. Y Max el rey de todos los monstruos se sintió solo y deseó estar en un lugar donde hubiera alguien que lo quisiera más que a nadie.

De repente desde el otro lado del mundo
le llegó un rico olor a comida
y renunció a ser rey del lugar donde viven los monstruos.

Pero los monstruos gritaron: "¡Por favor no te vayas—
te comeremos—en verdad te queremos!"
A lo cual Max respondió: "¡NO!"

Los monstruos emitieron unos horribles rugidos y crujieron sus
afilados dientes y lo miraron con ojos centelleantes y le mostraron
sus terribles garras pero Max subió a su bote y se despidió de ellos

y navegó de regreso casi más de un año
por varias semanas
y durante todo un día

hasta llegar a la noche de su propia habitación
donde encontró su cena

que aún estaba caliente.